OPENBARE BIB... JUBBEGA

D0504378

stuurman

prins

kreeft

vinnen

poel

AVI: 2

Leesmoeilijkheid: eindclusters: -st, -rt, -ft, -mp

Thema: vakantie

Zwijsen

Peter Smit
Roos is een held

met tekeningen van Marijke van Veldhoven

Bikkels

Naam: *Roos Visser*

Ik woon met: *papa, mama en mijn hamster Fred*

Dit doe ik het liefst: *boeken lezen over dieren*

Hier heb ik een hekel aan: *als mensen 'kleintje' tegen mij zeggen*

Later word ik: *baas van een dierentuin*

Schip in nood!

Roos zit op de bank.
Buiten schijnt de zon.
Het is warm.
Toch rilt Roos.
Ze kijkt naar een film op tv.
Die film laat een ramp op zee zien.
Mannen roepen om hulp.
Hun schip ligt schuin.
De golven zijn hoog.
Ze vallen op het schip!
Eén matroos valt in zee.
Een ander klemt zich vast aan de mast.
'Help,' roept hij.
'Ik heb kramp!'
Wat is dit erg, denkt Roos.
Haar hart bonkt.

Dan komt papa binnen.
'Je moet naar bed Roos,' zegt hij.
'Deze film is te eng.
Je bent er te klein voor.'
Roos kijkt nog even naar de film.

Er komt een klein bootje aan.
Iemand gooit een touw.
De matroos vangt het.
Heeft hij nog een kans?
Blijft hij in leven?

Dan zet papa de tv uit.
'Kom Roos,' zegt hij.
'Het is acht uur.
Ik wil dat je je handen wast
en je tanden poetst.
Roep maar als je klaar bent.
Dan lees ik nog wat voor.
Over de kleine meermin en de zee.'

Roos zucht heel diep.
Wat was de film eng!
Wat erg dat ze het eind niet weet ...

Roos valt uit bed

Papa vertelt verder van de meermin.
Dat is een meisje met de staart van een vis.
De meermin redt een prins uit zee ...

Dan valt Roos in slaap.
Ze ziet een vrouw met golvend haar.
Heeft de vrouw een stafje vast?
Ziet ze dat goed?
Daar ligt Baps op een rots.
Die zit bij haar in de klas.
Wat doet Baps hier?
Roos droomt dat ze in zee zwemt.
Ze heeft ook de staart van een vis.
Zo komt ze snel vooruit.
Ze schiet door de golven!
In de verte ziet ze een schip.
Het schip is in nood.
Een prins klemt zich vast aan de mast.
'Help,' roept hij.
'Ik stort in zee!'
Roos zwemt nu héél snel.
Sneller dan een vis!

Ze zwemt naar de prins in nood.
Maar daar merkt ze iets ergs.
Ze heeft geen armen meer!
Ze heeft twee vinnen ...
Roos wil de prins redden.
Maar hoe?
De prins wordt boos.
'Haast je wat,' zegt hij.
'Of moet ik ondergaan?'
Roos doet wat ze kan.
Ze steekt haar vinnen uit.
Maar het lukt niet ...
Dan klinkt er een bons.
Roos doet haar ogen open.
Ze ligt naast haar bed.
Haar hart bonkt.
Roos snapt dat ze een droom had.
Ze stapt terug in bed.
Ze kruipt onder haar deken.
Wat was het eng, denkt ze.
Ze knijpt in haar arm.
Goed dat ze geen vinnen heeft!
Roos zucht.
Dan valt ze weer in slaap.

Papa heeft vrij

Bij het ontbijt kijkt pappa blij.
'Ik heb goed nieuws,' zegt hij.
'Ons kantoor gaat dicht.
Het krijgt een nieuw dak.
Nu heb ik een week vrij.
Gaan we iets leuks doen?'

Roos staat op.
'We gaan naar zee,' roept ze.
'Naar het huis van tante Trui.
Dat staat voor ons klaar.
Dat zei tante laatst!'
Papa kijkt mama aan.
'Ik vind het goed,' zegt mama.
'Het huisje is vast leuk.

Trui heeft erover verteld.
Het ligt op een duin,
vlak naast de zee.
Zal ik Trui bellen?
Dan gaan we er nu al heen.
Want het is mooi weer.'

Die middag zit Roos op het strand.
Ze kijkt naar de zee.
Nu is de zee kalm, denkt ze.
Maar de zee kan ook woest zijn!
Dan kolkt en bruist hij!
Roos ziet een man die zwemt.
Ze ziet een jongen die gaat surfen.
Hij loopt naar de zee toe.
Straks gaat hij heel ver!
Ik moet iets doen, denkt Roos.
Snel!
Straks wordt de zee wild.
En dan is het te laat!

Roos rent naar de jongen toe.
Ze pakt zijn arm.
'Niet in zee gaan,' roept ze.

'Er komt vast storm!
Dat is heel eng!'
Roos kijkt naar de man die zwemt.
Ze zwaait en roept.
'Gauw naar het strand!
Er komt een ramp!'
De man komt uit zee.
'Wat is er?' vraagt hij.
'Niks,' zegt de jongen.
'Die kleine is bang voor storm.
Ik weet niet waarom.
Want er is haast geen wind.'
'Ik ga zwemmen,' zegt de man.
'En ik ga surfen,' zegt de jongen.
Hij kijkt naar Roos.
'Ga iets leuks doen,' zegt hij.
'Bouw een kasteel van zand.
Of graaf een kuil.
Je hoeft niet bang te zijn.
De zee is heel kalm.
Er komt heus geen ramp.'

Roos redt veel dieren

Eerst is Roos heel bedroefd.
Ze kijkt naar de jongen.
Hij is ver op zee.
Als de zee woest wordt, dan ...
Roos buigt haar hoofd en zucht.
Dan ziet ze een visje.
Het visje zwemt in een poel.
Maar die poel stroomt leeg.
Straks ligt het visje droog.
En dan gaat hij dood!
Roos pakt haar netje.
Ze vangt het visje.
En brengt het naar zee.

'Zo,' zegt Roos zacht.
'Zo red ik toch een dier.'
Roos ziet nog een poel.
Ook daar zit een beestje in.
Het is een kleine kreeft.
Roos krijgt meteen haast.
Ze brengt de kreeft naar zee.
Dan ziet ze een witte bol.

Die ligt in het zand.
Roos kijkt er heel goed naar.
Ze ziet dat de bol leeft.
'Dat is een kwal,' zegt een vrouw.
'Pak hem niet, hoor.
Dan krijg je jeuk!
Laat maar liggen.
Op het strand gaat hij dood.
Een kwal kan niet tegen de zon.'

Even is Roos bang.
Ze kijkt naar de kwal.
Ze voelt haar hart kloppen.
'Hou moed, kwal,' zegt ze dan.
'Ik red je!'
Roos schept de kwal op haar schep.
Ze brengt hem naar zee.
Dan redt ze nog een kwal.
En nog een.
Zo redt Roos veel dieren.
Kwallen, visjes en een kreeft!

Roos redt een mens!

Het is de laatste dag aan zee.
Morgen gaat Roos naar huis.
Er zijn veel kwallen.
Roos heeft het druk.
Kwal na kwal brengt ze naar zee.
Ze redt er meer dan tien!
Haar ouders staan op.
'We gaan,' zegt papa.
'Ga je mee, Roos?'
Roos schudt haar hoofd.
'Ik kan niet weg,' zegt ze.
'Ik heb het te druk.'
'Kom straks maar,' zegt mama.
'Ik haal je als de rijst gaar is.'

Veel mensen gaan weg.
Roos is alleen op het strand.
Maar dan hoort Roos iets.
'Help, help,' roept een stem.
Roos kijkt over het strand.
Daar is niemand.
Wel ligt er een tas.

Van wie zou die zijn?
Roos kijkt naar de zee.
Daar ziet ze een stipje.
'Help, help,' hoort Roos.
Roos zwaait naar het stipje.
Even wil ze in zee gaan.
Maar dat durft ze niet.
Wat moet ze doen?
Naar het huisje gaan?
Dat duurt vast veel te lang.
En ze heeft haast!
Dan ziet ze de tas.
Roos krijgt een idee.
Wie weet zit er iets in de tas,
waarmee ze kan bellen!
Roos rent naar de tas.
Ze vindt een ketting van zilver.
Ze vindt een schrift en een pen.
En dan ... vindt Roos wat ze zoekt!
Roos belt naar 112.
Dat is het nummer van het alarm.
Een man vraagt wat er is.
Roos zegt het.
'Er komt hulp aan,' zegt de man.

Dan ziet Roos een boot.
De boot vaart naar de zwemmer.
Dan vaart hij naar het strand.
'Belde jij?' vraagt de stuurman.
Roos knikt.
'Goed zo,' zegt de stuurman.
'Ik was nog net op tijd.'
Dan ziet Roos wie er gered is.
Het is de jongen die surft.
'Dank je wel,' zegt hij.
'Ik kreeg last van kramp.
Dankzij jou leef ik nog.'
De jongen stapt op het strand.
Hij pakt zijn tas.
Dan hoort Roos weer roepen.
Het is mama.
'Kom je, Roos?
De rijst is gaar!'
Maar eerst krijgt Roos nog iets.
'Dit is voor jou,' zegt de jongen.
Hij geeft zijn ketting en zegt:
'Roos, je bent een held!'

Wil je meer lezen over Baps en haar oma die op het eiland Vergeet-mij-nietje woont op pagina 11? Lees dan 'Oma vergeet-mij-nietje'. Hierin lees je dat Baps op bezoek gaat bij haar oma die alles vergeet. Tot er een fee komt ...

Oma vergeet-mij-nietje

NEDERLANDSE
KINDERJURY
2007

avi 2

Boeken met dit vignet zijn op niveaubepaling geregistreerd en gecontroleerd door KPC-groep te 's-Hertogenbosch.

1e druk 2006

ISBN 90.276.0576.9
NUR 282

© 2006 Tekst: Peter Smit
Illustraties: Marijke van Veldhoven
Vormgeving: Rob Galema
Uitgeverij Zwijsen B.V., Tilburg

Voor België:
Zwijsen-Infoboek, Meerhout
D/2006/1919/290

Behoudens de in of krachtens de Auteurswet van 1912 gestelde uitzonderingen mag niets uit deze uitgave worden verveelvoudigd, opgeslagen in een geautomatiseerd gegevensbestand, of openbaar gemaakt, in enige vorm of op enige wijze, hetzij elektronisch, mechanisch, door fotokopieën, opnamen of enige andere manier, zonder voorafgaande schriftelijke toestemming van de uitgever. Voorzover het maken van reprografische verveelvoudigingen uit deze uitgave is toegestaan op grond van artikel 16 h Auteurswet 1912 dient men de daarvoor wettelijk verschuldigde vergoedingen te voldoen aan de Stichting Reprorecht (Postbus 3060, 2130 KB Hoofddorp, www.reprorecht.nl). Voor het overnemen van gedeelte(n) uit deze uitgave in bloemlezingen, readers en andere compilatiewerken (artikel 16 Auteurswet 1912) kan men zich wenden tot de Stichting PRO (Stichting Publicatie- en Reproductierechten Organisatie, Postbus 3060, 2130 KB Hoofddorp, www.cedar.nl/pro).